中华人民共和国行业标准

预应力高强钢丝绳加固混凝土
结构技术规程

Technical specification for strengthening concrete structures
with prestressed high strength steel wire ropes

JGJ/T 325 - 2014

批准部门：中华人民共和国住房和城乡建设部
施行日期：2 0 1 4 年 1 0 月 1 日

中国建筑工业出版社

2014 北 京

中华人民共和国行业标准

预应力高强钢丝绳加固混凝土结构技术规程

Technical specification for strengthening concrete structures
with prestressed high strength steel wire ropes

JGJ/T 325 - 2014

*

中国建筑工业出版社出版、发行（北京西郊百万庄）

各地新华书店、建筑书店经销

北京同文印刷有限责任公司印刷

*

开本：850×1168毫米　1/32　印张：2⅜　字数：63千字
2014 年 6 月第一版　　2014 年 6 月第一次印刷
定价：**12.00** 元
统一书号：15112·23903
本社网址：http://www.cabp.com.cn
网上书店：http://www.china-building.com.cn

UDC

中华人民共和国行业标准

P

JGJ/T 325-2014
备案号 J 1744-2014

预应力高强钢丝绳加固混凝土
结构技术规程

Technical specification for strengthening concrete structures
with prestressed high strength steel wire ropes

2014-02-28 发布   2014-10-01 实施

中华人民共和国住房和城乡建设部   发布

中华人民共和国住房和城乡建设部
公　告

第 331 号

住房城乡建设部关于发布行业标准
《预应力高强钢丝绳加固混凝土
结构技术规程》的公告

现批准《预应力高强钢丝绳加固混凝土结构技术规程》为行业标准，编号为 JGJ/T 325－2014，自 2014 年 10 月 1 日起实施。

本规程由我部标准定额研究所组织中国建筑工业出版社出版发行。

中华人民共和国住房和城乡建设部

2014 年 2 月 28 日

前　言

　　根据住房和城乡建设部《关于印发〈2008 年工程建设标准规范制订、修订计划（第一批）〉的通知》（建标〔2008〕102 号）的要求，规程编制组经广泛调研，认真总结实践经验，参考有关国际标准和国内先进标准，并在广泛征求意见的基础上，编制本规程。

　　本规程的主要技术内容是：1　总则；2　术语和符号；3　材料；4　设计；5　施工；6　检验与验收。

　　本规程由住房和城乡建设部负责管理，由东南大学负责具体技术内容的解释。执行过程中如有意见或建议，请寄送东南大学《预应力高强钢丝绳加固混凝土结构技术规程》标准编制组（地址：南京市四牌楼 2 号，邮编：210096）。

　　本 规 程 主 编 单 位：东南大学
　　　　　　　　　　　　　北京特希达科技有限公司
　　本 规 程 参 编 单 位：交通部公路科学研究院
　　　　　　　　　　　　　南京市建筑设计研究院
　　　　　　　　　　　　　浙江沪杭甬高速公路股份有限公司杭州管理处
　　　　　　　　　　　　　广东省公路管理局
　　　　　　　　　　　　　江苏省建筑科学研究院有限公司
　　　　　　　　　　　　　山西省公路局
　　　　　　　　　　　　　江西赣粤高速公路股份有限公司
　　　　　　　　　　　　　南京林业大学
　　　　　　　　　　　　　北京特希达交通勘察设计有限公司
　　　　　　　　　　　　　北京九通衢道桥工程技术有限公司
　　本规程主要起草人员：吴　刚　魏　洋　魏洪昌　董青泓

目　　次

Contents

1 总　　则

1.0.1 为规范预应力高强钢丝绳加固混凝土结构构件技术的应用，做到技术先进、安全适用、经济合理、保证工程质量，制定本规程。

1.0.2 本规程适用于采用预应力高强钢丝绳加固房屋建筑、中小跨径桥梁、构筑物等的混凝土结构构件的设计、施工及验收。

1.0.3 采用预应力高强钢丝绳加固混凝土结构构件前，应按国家现行有关标准对原结构进行检测、鉴定或评估。

1.0.4 采用预应力高强钢丝绳加固混凝土结构构件的设计、施工及验收，除应符合本规程外，尚应符合国家现行有关标准的规定。

2 术语和符号

2.1 术 语

2.1.1 高强钢丝绳 high strength steel wire ropes

由高强不锈钢钢丝或高强镀锌钢丝制成的钢丝绳。

2.1.2 锚板 anchor plate

与锚具整体焊接，通过胶粘剂、锚栓或植筋等安装在混凝土结构构件锚固区的钢板。

2.1.3 锚具 anchor

固定在锚板上，用于固定或调整钢丝绳的装置。

2.1.4 铝合金套管 aluminum alloy sleeve

截面为类似数字"8"的形状，用于锚固钢丝绳的装置。简称套管。

2.1.5 铝合金锚头 aluminum alloy archor heads

铝合金套管经专用挤压模具压制后，形成的钢丝绳墩头锚。

2.1.6 锚固系统 archorage system

由锚头、锚具、锚板组成，固定于混凝土结构构件，实现对高强钢丝绳锚固的体系。

2.1.7 界面剂 interface agent

涂抹或喷刷在混凝土结构构件表面，用于增强聚合物砂浆与混凝土之间粘结力的材料。

2.2 符 号

2.2.1 材料性能

E_{c0}——原构件混凝土弹性模量；

E_{s0}——原构件普通钢筋弹性模量；

E_{rw}——高强钢丝绳弹性模量；

f_{c0} ——原构件混凝土轴心抗压强度设计值；

$f_{c0,k}$ ——原构件混凝土轴心抗压强度标准值；

$f_{t0,k}$ ——原构件混凝土轴心抗拉强度标准值；

f_{y0}、f'_{y0} ——分别为原构件普通钢筋抗拉强度设计值和抗压强度设计值；

f_{py0} ——原构件体内预应力筋抗拉强度设计值；

f_{rk} ——高强钢丝绳抗拉强度标准值；

f_r ——高强钢丝绳抗拉强度设计值；

f_l ——高强钢丝绳对混凝土柱（等效）侧向约束力；

f_{cc} ——高强钢丝绳加固后柱的轴心抗压强度设计值。

2.2.2 作用效应、力及应力

M ——构件加固后弯矩组合设计值；

N_{p0} ——计算截面上混凝土法向预应力等于零时原有预应力筋的预加力和普通钢筋的合力；

$N_{p0,r}$ ——预应力高强钢丝绳的预加力；

V ——构件加固后剪力组合设计值；

V_{b0} ——未加固梁的斜截面受剪承载力；

V_{br} ——高强钢丝绳受剪加固对斜截面受剪承载力的提高设计值；

$\sigma_{con,r}$ ——预应力高强钢丝绳张拉控制应力；

$\sigma_{pe,r}$ ——预应力高强钢丝绳有效预应力；

σ_{pc} ——抗裂验算边缘混凝土的预压应力；

σ_{ct} ——施工阶段计算截面预拉区边缘纤维的混凝土拉应力；

σ_{cc} ——施工阶段计算截面预压区边缘纤维的混凝土压应力。

2.2.3 几何参数

A_{s0}、A'_{s0} ——分别为原构件受拉区和受压区普通钢筋截面面积；

A_{p0} ——原构件体内预应力筋截面面积；

A_r ——高强钢丝绳计算截面面积；

a ——受拉区原普通钢筋、原预应力筋及预应力高强钢丝绳合力作用点至受拉区边缘的距离；

a_p ——受拉区原预应力筋合力点至截面受拉边缘的距离；

a_r ——受拉区预应力高强钢丝绳合力点至截面受拉边缘的距离；

e_p ——$N_{p0} + N_{p0,r}$ 的作用点至原有预应力筋、普通钢筋及预应力高强钢丝绳的合力作用点的距离；

$e_{p0,r}$ ——原构件换算截面重心至预应力高强钢丝绳合力点的距离；

h ——截面高度；

h_0 ——加固后构件截面有效高度；

h_r ——梁侧面配置的高强钢丝绳箍筋的竖向高度；

h_w ——截面腹板高度；

s_r ——高强钢丝绳间距；

u_r ——柱截面周长；

y_{psr} ——受拉区原有预应力筋、普通钢筋及预应力高强钢丝绳的合力作用点的偏心距；

z ——预应力高强钢丝绳的预加力、原有预应力筋的预加力和普通钢筋的合力点至截面受压区合力点的距离。

2.2.4 计算系数

α_1 ——受压区混凝土等效矩形应力图应力值与混凝土轴心抗压强度设计值的比值；

α_E ——钢材弹性模量与混凝土弹性模量之比；

α_{cr} ——构件受力特征系数；

$\xi_{b,r}$ ——受弯构件加固后相对极限受压区高度；

κ_r ——粘结性能调整系数；

ν_i ——受拉区第 i 种纵向钢筋的相对粘结特性系数；

λ ——计算截面的剪跨比；

k_s ——截面形状系数；

4

k_r ——矩形截面长宽比影响系数；

ψ_{v1} ——高强钢丝绳布置方式影响系数；

ψ_{v2} ——高强钢丝绳抗剪强度折减系数；

ψ_e ——高强钢丝绳抗震加固强度折减系数。

3 材　料

3.1 一般规定

3.1.1 高强钢丝绳应具有产品合格证及性能检测报告。

3.1.2 采用预应力高强钢丝绳加固的混凝土结构构件，其长期使用环境的温度不宜高于 60℃，并应符合现行国家标准《混凝土结构设计规范》GB 50010 的规定。

3.1.3 当被加固的混凝土结构构件处于高温、高湿、侵蚀环境中，应采用耐环境影响的胶粘剂，并应按相应的工艺要求施工。

3.1.4 砂浆、胶粘剂、锚固胶及植筋胶等应满足设计和环保要求。

3.2 钢丝绳

3.2.1 混凝土结构构件的加固可采用高强不锈钢钢丝绳和高强镀锌钢丝绳。高强钢丝绳抗拉强度标准值（f_{rk}）不应小于表 3.2.1 的规定。

表 3.2.1　高强钢丝绳抗拉强度标准值

种类	符号	公称直径（mm）	不锈钢钢丝绳		镀锌钢丝绳	
			抗拉强度标准值（MPa）	材料分项系数（γ_r）	抗拉强度标准值（MPa）	材料分项系数（γ_r）
1×19	ϕ^s	3.0~7.0	1650	1.47	1560	1.47
			1770	1.47	1650	1.47

3.2.2 高强钢丝绳抗拉强度设计值应按本规程表 3.2.1 中的强度标准值除以材料分项系数（γ_r）确定。

3.2.3 高强钢丝绳的弹性模量、伸长率不应小于表 3.2.3 的规定。

表 3.2.3 钢丝绳弹性模量、伸长率

类别	弹性模量 E_{rw}（MPa）	伸长率（%）
不锈钢钢丝绳	1.10×10^5	1.6
镀锌钢丝绳	1.40×10^5	2.1

3.2.4 高强钢丝绳强度、弹性模量、伸长率等的试验方法及截面面积计算宜按本规程附录 A 执行。当对试验结果有争议时，应按现行国家标准《钢丝绳破断拉伸试验方法》GB/T 8358 规定的仲裁试验方法执行。

3.2.5 高强钢丝绳的应力松弛性能试验方法宜符合现行国家标准《预应力混凝土用钢绞线》GB/T 5224 的规定。

3.2.6 高强钢丝绳不得涂有油脂。

3.2.7 对处于腐蚀环境的混凝土结构构件进行加固时，应采用高强不锈钢钢丝绳。

3.2.8 对处于一般环境的混凝土结构构件进行加固时，可选用高强镀锌钢丝绳，但应采取有效的防锈措施。

3.3 砂　浆

3.3.1 砂浆的基本性能指标应符合表 3.3.1 的规定。

表 3.3.1 砂浆基本性能指标

砂浆等级	劈裂抗拉强度（MPa）	正拉粘结强度（MPa）	抗折强度（MPa）	抗压强度（MPa）	钢套筒粘结抗剪强度标准值（MPa）
I	≥7.0	≥2.5，且为混凝土内聚破坏	≥12.0	≥50.0	≥12.0
II	≥5.5		≥10.0	≥40.0	≥9.0

注：表中的指标值为龄期 28d 指标。

3.3.2 端部锚固区范围及反力支撑范围应选用 I 级砂浆，涂抹厚度不应小于 25mm。端部锚固区范围（d_1）应自锚具外边缘起沿跨中方向不小于 500mm 的范围；反力支撑范围（d_2）应为圆钢棒两侧不小于 200mm 的范围（图 3.3.2）。

7

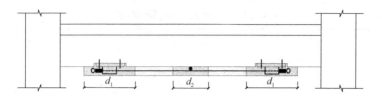

图 3.3.2 Ⅰ级砂浆使用范围

3.3.3 锚固区和反力支撑范围以外可选用Ⅱ级砂浆。

3.3.4 砂浆粘结剪切性能应经湿热老化检验，且试验方法应按现行国家标准《混凝土结构加固设计规范》GB 50367 执行，合格后方可使用。

3.3.5 砂浆在严寒和寒冷地区使用时，应具有耐冻融性能检验合格证书，且试验方法应按现行国家标准《混凝土结构加固设计规范》GB 50367 执行。

3.3.6 砂浆现场拌制时，应按预先确定的配合比进行拌制，且每次的拌合量宜在 30min 内使用完毕。

3.4 锚 固 系 统

3.4.1 预应力高强钢丝绳的锚固系统由锚头、锚具、锚板组成（图 3.4.1），且锚具与锚板应通过焊接连接，锚板应通过胶粘剂、锚栓、锚固胶或植筋胶与混凝土构件连接成整体。

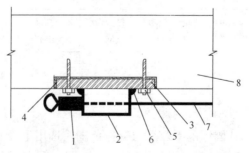

图 3.4.1 锚固系统

1—锚头；2—锚具；3—锚板；4—胶粘剂；5—锚栓；
6—焊接点；7—钢丝绳；8—混凝土构件

3.4.2 铝合金套管表面应光滑、无毛刺，且不得有裂纹、机械损伤及其他明显缺陷，并应附有质量合格证。铝合金套管的材质及规格应符合本规程附录B的规定。

3.4.3 锚头采用高强钢丝绳与套管挤压成一体的墩头锚（图3.4.3），套管型号、锚头尺寸及挤压力应符合表3.4.3的规定。

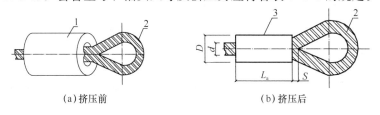

(a)挤压前   （b）挤压后

图 3.4.3　锚头挤压成型
1—套管；2—钢丝绳；3—锚头

表 3.4.3　套管、锚头尺寸及挤压力

套管型号	D（mm）		L_{amin}（mm）	S（mm）	挤压力（kN）
	基本尺寸	极限偏差			
3	9	+0.25	22	2	180
4	11		28	2	200
5	12		32	2	250
6	13	+0.35	36	3	300
7	15		40	4	350

注：表中 D—挤压后铝合金套管外径；L_{amin}—套管挤压后的最小长度；S—铝合金套管外边缘至钢丝绳重叠盘头之间的长度。

3.4.4 锚头挤压成型应符合下列规定：

　　1 套管型号应与高强钢丝绳直径相匹配，当高强钢丝绳直径非整数时，应按四舍五入的整数选取套管型号；

　　2 锚头表面应光滑，无裂纹、毛边和毛刺，并应能承受钢丝绳的最小破断力以及钢丝绳最小破断力 15%～30% 的冲击荷载。

3.4.5 高强钢丝绳锚具及槽道的宽度和间距应由高强钢丝直

径（d）、锚头直径（D）及高强钢丝绳数量确定，且尺寸应符合表 3.4.5 的规定（图 3.4.5）。

表 3.4.5　锚具及槽道尺寸（mm）

项目	槽道上口宽度（S_1）	槽道下口宽度（S_2）	开槽边距（S_0）	开槽深度（h_1）	锚具高度（h_m）	锚具宽度（b）
尺寸要求	$\geqslant d+1$	$\geqslant d+2$	$\geqslant D/2$	$\geqslant (d+D)/2$	$\geqslant 1.5D+10$	$\geqslant 30$
公差	± 0.5	± 0.5	$+0.5$	-0.5	-0.5	-0.5

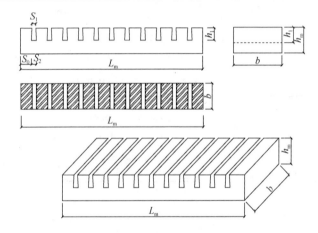

图 3.4.5　高强钢丝绳锚具

3.4.6 锚板尺寸应根据设计确定，且厚度不应小于 10mm，宽度不应小于锚具长度（L_m），长度应满足锚栓或植筋布设的要求。

3.4.7 锚具和锚板宜采用 Q235 或 Q345 钢；对重要结构的构件，应采用可焊性好的钢材，且不应低于 Q235B。

3.4.8 锚固系统中采用锚栓或植筋的材质、性能指标要求以及设计方法等均应按现行行业标准《混凝土结构后锚固技术规程》JGJ 145 执行。

3.4.9 焊接材料的型号和质量应符合下列规定：

1 焊条的品种、规格应符合设计要求；

2 焊缝的设计指标应符合现行国家标准《钢结构设计规范》GB 50017 的相关规定。

3.4.10 胶粘剂、锚固胶、植筋胶等的各项力学性能指标及耐老化性能应符合现行国家标准《混凝土结构加固设计规范》GB 50367 的相关规定。

3.4.11 锚固系统应采取可靠的防腐措施，锚具、锚板、锚栓宜采用喷涂型阻锈剂，并应符合现行国家标准《混凝土结构加固设计规范》GB 50367 的规定。

4 设 计

4.1 一 般 规 定

4.1.1 预应力高强钢丝绳加固混凝土结构构件时，宜采用下列方式：

1 在梁、板构件的受拉区施加预应力受弯加固，且将锚具固定在弯矩较小的区域；

2 采用封闭式缠绕、U形、L形及I形对梁进行受剪加固；

3 采用封闭式缠绕对柱进行受压或抗震加固，高强钢丝绳缠绕方向宜与柱轴向垂直。

4.1.2 受弯加固和受剪加固时，被加固混凝土结构构件的实际混凝土强度等级不应低于C15。

4.1.3 采用高强钢丝绳加固混凝土结构构件时，应按现行国家标准《混凝土结构设计规范》GB 50010进行承载力极限状态计算和正常使用极限状态验算。钢筋和混凝土材料强度设计值应根据检测得到的实际强度推算。

4.1.4 预应力高强钢丝绳的自由长度超过10m时，应设置定（限）位装置。

4.1.5 预应力高强钢丝绳张拉时，应采用应力、伸长量双重控制。拉力偏差应在±100N范围内，伸长量偏差应在±0.5mm范围内。

4.1.6 预应力高强钢丝绳曲线布置时，曲率半径不应小于4m。

4.1.7 当被加固构件有防火要求时，应采取防护措施，并应符合现行国家标准《建筑防火设计规范》GB 50016的规定。

4.1.8 预应力高强钢丝绳的保护层厚度应从钢丝绳外表面算起，并应根据现行国家标准《混凝土结构设计规范》GB 50010规定的环境类别，分别符合下列规定：

1 一类环境，不应小于 20mm；

2 二 a 类以上环境，不应小于 30mm。

4.2 受弯加固设计

4.2.1 预应力高强钢丝绳受弯加固梁、板构件，承载力计算除应符合现行国家标准《混凝土结构设计规范》GB 50010 对受弯构件正截面承载力计算的基本假定外，尚应符合下列规定（图 4.2.1）：

1 预应力高强钢丝绳应与钢筋、混凝土变形协调；

2 应验算构件的受剪承载力，且受剪破坏不得先于受弯破坏发生；

3 加固后受弯承载力的提高幅度不宜超过 60%。

4.2.2 梁侧面布置预应力高强钢丝绳受弯加固时，钢丝绳布置高度不应超过梁截面高度的 1/4（图 4.2.1c）。

4.2.3 预应力高强钢丝绳对梁、板负弯矩区受弯加固时，锚具位置应设在正弯矩区，加固范围应自支座边缘起计算，且对于板，加固范围不应小于 1/4 跨度；对于梁，加固范围不应小于 1/3 跨度。钢丝绳需绕过柱时，宜在梁两侧的 4 倍板厚（h'_f）范围内布置（图 4.2.1d）。

4.2.4 受弯构件加固后相对界限受压区高度（$\xi_{b,r}$）应符合下列规定：

1 对于重要构件，$\xi_{b,r}$ 应采用加固前控制值（ξ_b）的 0.90 倍；

2 对于一般构件，$\xi_{b,r}$ 应采用加固前控制值（ξ_b）的 0.95 倍。

4.2.5 对矩形、T 形或 I 形截面构件受弯加固时，其正截面受弯承载力计算应符合下列规定（图 4.2.5）：

1 矩形截面或中性轴位于 T 形或 I 形截面翼板内（$x \leqslant h'_f$）时，正截面承载力应按下列公式确定：

$$\alpha_1 f_{c0} b'_f x + f'_{y0} A'_{s0} = f_{y0} A_{s0} + f_{py0} A_{p0} + f_r A_r \quad (4.2.5\text{-}1)$$

$$M \leqslant \alpha_1 f_{c0} b'_f x \left(h_0 - \frac{x}{2}\right) + f'_{y0} A'_{s0}(h_0 - a'_s) \quad (4.2.5\text{-}2)$$

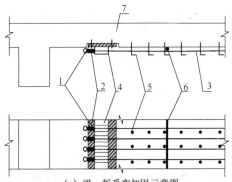

(a) 梁、板受弯加固示意图

1—锚板;2—锚头;3—预应力高强钢丝绳;4—锚具;5—植筋;6—圆钢棒;7—待加固梁、板

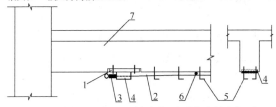

(b) 梁受弯加固示意图（预应力高强钢丝绳布置形式一）

1—锚板;2—预应力高强钢丝绳;3—锚头;4—锚具;5—植筋;6—圆钢棒;7—待加固梁

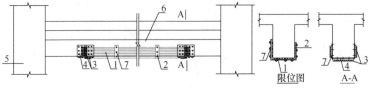

(c) 梁受弯加固示意图（预应力高强钢丝绳布置形式二）

1—钢丝绳;2—限位装置;3—锚具;4—锚板;5—混凝土结构柱;6—待加固梁;7—锚栓

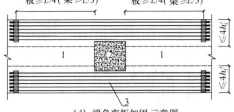

(d) 梁负弯矩加固示意图

1—混凝土梁;2—混凝土柱;3—预应力高强钢丝绳

图 4.2.1 梁、板构件受弯加固

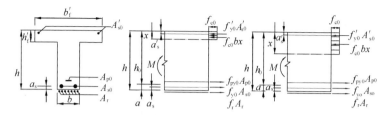

图 4.2.5　矩形、T形截面受弯构件正截面受弯承载力计算图

2　T形或I形截面且中性轴位于截面腹板内（$x > h'_f$）时，正截面承载力应按下列公式确定：

$$\alpha_1 f_{c0}(b'_f - b)h'_f + \alpha_1 f_{c0}bx + f'_{y0}A'_{s0}$$

$$= f_{y0}A_{s0} + f_{py0}A_{p0} + f_r A_r \qquad (4.2.5\text{-}3)$$

$$M \leqslant f_{c0}b\left(h_0 - \frac{x}{2}\right) + f_{c0}(b_f - b)\left(h_0 - \frac{h'_f}{2}\right) + f'_{y0}A'_{s0}(h_0 - a'_s)$$

$$(4.2.5\text{-}4)$$

$$h_0 = h - a \qquad (4.2.5\text{-}5)$$

$$a = \frac{f_{y0}A_{s0}a_s + f_{py0}A_{p0}a_p + f_r A_r a_r}{f_{y0}A_{s0} + f_{py0}A_{p0} + f_r A_r} \qquad (4.2.5\text{-}6)$$

式中：M——构件加固后弯矩组合设计值；

　　　α_1——系数，按现行国家标准《混凝土结构设计规范》GB 50010 的规定计算；

　　　b——矩形截面宽度或 T 形截面的腹板宽度；

　　　b'_f——受压翼缘的有效宽度，按现行国家标准《混凝土结构设计规范》GB 50010 的规定取值；

　　　h'_f——受压翼缘的厚度；

　　　h_0——截面有效高度；

　　a_p、a_r——受拉区原预应力筋合力点、预应力高强钢丝绳合力点至截面受拉边缘的距离，对于钢丝绳布置于梁底时，$a_r = 0$；对于钢丝绳布置于梁侧面时，按实际

15

取值；

a_s、a'_s——受拉区、受压区原普通钢筋的合力作用点至受拉区、受压区边缘的距离；

a——受拉区原普通钢筋、原预应力筋及预应力高强钢丝绳合力作用点至受拉区边缘的距离。

4.2.6 正常使用极限状态下裂缝控制验算应符合下列规定：

1 预应力高强钢丝绳加固混凝土结构构件时，应按所处环境类别和结构类别，根据现行国家标准《混凝土结构设计规范》GB 50010 的规定确定裂缝控制等级及最大裂缝宽度限值验算，并应符合下列规定：

1）一级裂缝控制等级构件，在荷载标准组合下，受拉边缘应力应符合下式规定：

$$\sigma_{ck} - \sigma_{pc} \leqslant 0 \qquad (4.2.6\text{-}1)$$

2）二级裂缝控制等级构件，在荷载标准组合下，受拉边缘应力应符合下式规定：

$$\sigma_{ck} - \sigma_{pc} \leqslant f_{t0,k} \qquad (4.2.6\text{-}2)$$

3）三级裂缝控制等级时，钢筋混凝土结构构件的最大裂缝宽度可按荷载准永久组合并考虑长期作用影响的效应计算，预应力混凝土结构构件的最大裂缝宽度可按荷载标准组合并考虑长期作用影响的效应计算。最大裂缝宽度应符合下式的规定：

$$w_{max} \leqslant w_{lim} \qquad (4.2.6\text{-}3)$$

式中：σ_{ck}——荷载标准组合抗裂验算边缘的混凝土法向应力；

σ_{pc}——抗裂验算边缘混凝土的预压应力，按本规程公式（4.2.9-2）、（4.2.9-3）计算；

$f_{t0,k}$——原构件混凝土轴心抗拉强度标准值；

w_{max}——按荷载的标准组合或准永久组合并考虑长期作用影响计算的最大裂缝宽度，按本规程公式（4.2.6-4）计算；

w_{lim}——最大裂缝宽度限值，按现行国家标准《混凝土结

16

构设计规范》GB 50010 的规定取值。

2 最大裂缝宽度应按荷载标准组合并考虑长期效应影响进行验算，并应按下列公式计算：

$$w_{\max} = \alpha_{cr} \psi \frac{\sigma_{sk}}{E_s} \left(1.9c + 0.08 \frac{d_{eq}}{\rho_{te}} \right) \quad (4.2.6\text{-}4)$$

$$\rho_{te} = \frac{A_{s0} + A_{p0} + \kappa_r A_r}{A_{te}} \quad (4.2.6\text{-}5)$$

$$\psi = 1.1 - 0.65 f_{tk} / (\rho_{te}\sigma_{sk}) \quad (4.2.6\text{-}6)$$

$$d_{eq} = \frac{\sum n_i d_i^2}{\sum n_i \nu_i d_i} \quad (4.2.6\text{-}7)$$

$$A_{te} = 0.5bh + (b_f - b)h_f \quad (4.2.6\text{-}8)$$

$$d_i = \sqrt{n_1} d_{p1} \quad (4.2.6\text{-}9)$$

式中：α_{cr} ——构件的受力特征系数，取 1.0；

ψ ——裂缝间纵向受拉钢筋应变不均匀系数；

c ——最外层纵向受拉钢筋外边缘至受拉区底边的距离（mm）：当 c 小于 20 时，取 20；当 c 大于 65 时，取 65；

d_{eq} ——受拉区纵向钢筋的等效直径（mm）；

σ_{sk} ——按标准组合计算的预应力高强钢丝绳加固混凝土构件受拉区纵向钢筋等效应力；

κ_r ——粘结性能调整系数，取 0.5；

A_{s0} ——原结构受拉区纵向非预应力钢筋截面面积；

A_{p0} ——原梁体内预应力筋的截面面积；

ρ_{te} ——按有效受拉混凝土截面面积计算的纵向受拉钢筋配筋率；

A_{te} ——有效受拉混凝土截面面积；

b_f、h_f ——分别为受拉翼缘的宽度、高度；

A_r ——高强钢丝绳计算截面面积；

ν_i —— 受拉区第 i 种纵向钢筋的相对粘结特性系数，按现行国家标准《混凝土结构设计规范》GB 50010 规定取值，其中，预应力高强钢丝绳的相对粘结特性系数取 0.5；

n_i、d_i —— 分别为受拉区第 i 种纵向钢筋根数和直径（mm）；对于有粘结预应力钢绞线，n_i 取为钢绞线束数，d_i 按公式（4.2.6-9）计算；

d_{p1} —— 单根钢绞线公称直径；

n_1 —— 单束钢绞线根数。

3 按标准组合计算的预应力高强钢丝绳加固混凝土结构构件受拉区纵向钢筋等效应力应按下列公式计算：

$$\sigma_{sk} = \frac{M_k - (N_{p0} + N_{p0,r})(z - e_p)}{(\kappa_r A_r + A_{p0} + A_{s0})z} \qquad (4.2.6\text{-}10)$$

$$z = \left[0.87 - 0.12(1 - \gamma'_f)\left(\frac{h_0}{e}\right)^2 \right] h_0 \qquad (4.2.6\text{-}11)$$

$$e = e_p + \frac{M_k}{N_{p0} + N_{p0,r}} \qquad (4.2.6\text{-}12)$$

$$e_p = y_{psr} - e_{p0} \qquad (4.2.6\text{-}13)$$

式中：M_k —— 按荷载标准组合计算的弯矩值；

N_{p0} —— 计算截面上混凝土法向预应力等于零时原有预应力筋的预加力和普通钢筋的合力，先张法和后张法预应力混凝土结构构件，均按本规程公式（4.2.10-1）计算；

$N_{p0,r}$ —— 预应力高强钢丝绳的预加力；

z —— 预应力高强钢丝绳的预加力、原有预应力筋的预加力和普通钢筋的合力点至截面受压区合力点的距离；

e —— 折算偏心距；

e_p —— 取 N_{p0} 与 $N_{p0,r}$ 之和至原有预应力筋、普通钢筋及预应力高强钢丝绳的合力作用点的距离；

y_{psr} ——受拉区原有预应力筋、普通钢筋及预应力高强钢丝绳的合力作用点的偏心距；

e_{p0} ——计算截面上混凝土法向预应力等于零时的原有预应力筋、普通钢筋及预应力高强钢丝绳的合力作用点的偏心距，按本规程按公式（4.2.10-5）计算。

4.2.7 正常使用极限状态下挠度验算，应按荷载效应标准组合并考虑荷载长期作用影响的刚度（B）进行计算，且所计算的挠度值不应超过现行国家标准《混凝土结构设计规范》GB 50010的限值，并应符合下列规定：

1 矩形、T形、倒T形和I形截面受弯构件的刚度（B），应按下式计算：

$$B = \frac{M_k}{M_q(\theta - 1) + M_k} B_s \qquad (4.2.7\text{-}1)$$

式中：M_q ——按荷载的准永久组合计算的弯矩，取计算区段内的最大弯矩值；

B_s ——荷载的标准组合计算的受弯构件的短期刚度；

θ ——考虑荷载长期作用对挠度增大的影响系数，按现行国家标准《混凝土结构设计规范》GB 50010的规定取值。

2 按裂缝控制等级要求的荷载组合作用下，预应力混凝土受弯构件的短期刚度（B_s），应按下列公式计算：

1） 不允许出现裂缝的混凝土构件

$$B_s = 0.85 E_{c0} I_0 \qquad (4.2.7\text{-}2)$$

2） 允许出现裂缝的构件

$$B_s = \frac{0.85 E_{c0} I_0}{\kappa_{cr} + (1 - \kappa_{cr})\omega} \qquad (4.2.7\text{-}3)$$

$$\omega = \left(1.0 + \frac{0.21}{\alpha_E \rho_e}\right)(1 + 0.45\gamma_f) - 0.7 \qquad (4.2.7\text{-}4)$$

$$\gamma_f = \frac{(b_f - b)h_f}{b h_0} \qquad (4.2.7\text{-}5)$$

$$\alpha_E = (E_{s0} + E_{rw}) / 2E_{c0} \qquad (4.2.7\text{-}6)$$

$$\rho_e = \frac{A_{s0} + A_{p0} + \kappa_r A_r}{b h_0} \qquad (4.2.7\text{-}7)$$

式中：κ_{cr}——预应力混凝土受弯构件的正截面的开裂弯矩 M_{cr} 与弯矩 M_k 的比值，当 $\kappa_{cr} > 1.0$ 时，取 $\kappa_{cr} = 1.0$；

γ_f——受拉翼缘截面面积与腹板有效截面面积比值；

α_E——钢材弹性模量和混凝土弹性模量的比值，钢材弹性模量取非预应力钢筋和钢丝绳弹性模量的平均值；

ρ_e——纵向受拉钢筋配筋率。

4.2.8 预应力损失应计算锚具变形损失值（$\sigma_{l2,r}$）、分批张拉损失值（$\sigma_{l4,r}$）、预应力高强钢丝绳松弛损失值（$\sigma_{l5,r}$），且各项预应力损失值宜根据试验确定，可按下列要求估算：

1 预应力高强钢丝绳由于锚具变形引起的预应力损失值（$\sigma_{l2,r}$）应按下式计算：

$$\sigma_{l2,r} = E_{rw} \frac{a}{l} \qquad (4.2.8\text{-}1)$$

式中：a——张拉端锚具变形，取 1mm，每块后加垫片的缝隙取 1mm；

l——张拉端至锚固端距离（mm）。

2 分批张拉引起的构件混凝土弹性压缩预应力损失值（$\sigma_{l4,r}$）应按下式计算：

$$\sigma_{l4,r} = \frac{m-1}{2} \cdot \alpha_{Er} \Delta\sigma_{pc} \qquad (4.2.8\text{-}2)$$

式中：α_{Er}——预应力高强钢丝绳弹性模量与混凝土弹性模量的比值；

$\Delta\sigma_{pc}$——在计算截面先张拉的预应力高强钢丝绳中心处，由后张拉每一批高强钢丝绳产生的混凝土法向应力；

m——预应力高强钢丝绳分批张拉的次数。

3 松弛引起的预应力损失值（$\sigma_{l5,r}$）应按下式计算：

$$\sigma_{l5,r} = 0.125 \left(\frac{\sigma_{con,r}}{f_{rk}} - 0.5 \right) \sigma_{con,r} \qquad (4.2.8\text{-}3)$$

式中：f_{rk} ——高强钢丝绳的抗拉强度标准值。

4 预应力高强钢丝绳的应力损失值（$\sigma_{l,r}$）应按下式计算，且当计算值小于 80MPa 时，应取 80MPa：

$$\sigma_{l,r} = \sigma_{l2,r} + \sigma_{l4,r} + \sigma_{l5,r} \qquad (4.2.8\text{-}4)$$

5 预应力高强钢丝绳的最终控制应力（$\sigma_{con,r}$）应按下列公式确定：

$$\sigma_{con,r} = \sigma_{pe,r} + \sigma_{l,r} \qquad (4.2.8\text{-}5)$$

$\sigma_{con,r}$ 应符合下式的规定：

$$0.4 f_{rk} < \sigma_{con,r} \leqslant 0.65 f_{rk} \qquad (4.2.8\text{-}6)$$

4.2.9 预应力高强钢丝绳加固受弯混凝土结构构件时，其应力计算应包括预应力高强钢丝绳的预加力、原有预应力筋的预加力及作用（荷载）效应标准值组合的共同作用，并应符合下列规定：

1 作用（荷载）效应标准值组合下的法向应力应按下列公式计算：

$$\sigma_{ck} = \frac{M_k}{W_0} \qquad (4.2.9\text{-}1)$$

式中：M_k ——按作用（荷载）效应标准值组合计算的弯矩值；

W_0 ——原构件换算截面边缘弹性抵抗矩。

2 由预应力高强钢丝绳的预加力、原有预应力筋的预加力产生的混凝土法向应力应按下列公式计算：

1）先张法构件（原预应力筋）：

$$\sigma_{pc} = \frac{N_{p0,r} + N_{p0}}{A_0} \pm \frac{N_{p0,r} e_{p0,r}}{I_0} y_0 \pm \frac{N_{p0} e_{p0}}{I_0} y_0 \qquad (4.2.9\text{-}2)$$

2）后张法构件（原预应力筋）：

$$\sigma_{pc} = \frac{N_{p0,r}}{A_0} \pm \frac{N_{p0,r} e_{p0,r}}{I_0} y_0 + \frac{N_p}{A_n} \pm \frac{N_p e_{pn}}{I_n} y_n \qquad (4.2.9\text{-}3)$$

式中：N_{p0}、N_p ——先张法构件、后张法构件原预应力筋的预加力，按本规程公式（4.2.10-1）、（4.2.10-

2）计算；

A_0、I_0——分别为原构件换算截面面积和惯性矩；

A_n、I_n——分别为原构件净截面面积和惯性矩；

e_{p0}、e_{pn}——分别为原构件换算截面重心及净截面重心至原预应力筋及受拉钢筋合力点的距离；

$e_{p0,r}$——为原构件换算截面重心至预应力高强钢丝绳合力点的距离；

y_0、y_n——分别为换算截面重心及净截面重心至所计算纤维处的距离；

$N_{p0,r}$——预应力高强钢丝绳的预加力，按本规程公式（4.2.10-3）计算。

3 原有预应力筋合力点处混凝土法向应力等于零时的原有预应力筋应力应考虑预应力高强钢丝绳的预加力引起原有预应力筋的弹性压缩损失（$\alpha_{Ep}m\Delta\sigma_{pc}$），且混凝土法向应力应按下列公式计算：

1） 先张法（原有预应力筋）：

$$\sigma_{p0} = \sigma_{con} - \sigma_l - \alpha_{Ep}m\Delta\sigma_{pc} \qquad (4.2.9\text{-}4)$$

2） 后张法（原有预应力筋）：

$$\sigma_{p0} = \sigma_{con} - \sigma_l + \alpha_E\sigma_{pc} - \alpha_{Ep}m\Delta\sigma_{pc} \qquad (4.2.9\text{-}5)$$

4.2.10 计算截面上混凝土法向预应力等于零时，原有预应力筋与普通钢筋合力、预应力高强钢丝绳的预加力及三者合力作用点的偏心距应按下列公式计算：

1 原有预应力筋与普通钢筋合力应按下列公式计算：

1） 先张法构件（原预应力筋）

$$N_{p0} = \sigma_{p0}A_p - \sigma_{l5}A_s \qquad (4.2.10\text{-}1)$$

2） 后张法构件（原预应力筋）

$$N_p = \sigma_{pe}A_p - \sigma_{l5}A_s \qquad (4.2.10\text{-}2)$$

2 预应力高强钢丝绳的预加力应按下列公式计算：

$$N_{p0,r} = \sigma_{pe,r}A_r \qquad (4.2.10\text{-}3)$$

$$\sigma_{pe,r} = \sigma_{con,r} - \sigma_{l,r} \qquad (4.2.10\text{-}4)$$

式中：$\sigma_{\mathrm{pe,r}}$——预应力高强钢丝绳的有效预应力。

3 原有预应力筋、普通钢筋及预应力高强钢丝绳的合力作用点相对于换算截面重心的偏心距应按下式计算：

$$e_{\mathrm{p0}} = \frac{\sigma_{\mathrm{p0,r}}A_{\mathrm{r}}y_{\mathrm{r}} + \sigma_{\mathrm{p0}}A_{\mathrm{p}}y_{\mathrm{p}} - \sigma_{l5}A_{\mathrm{s}}y_{\mathrm{s}}}{\sigma_{\mathrm{p0,r}}A_{\mathrm{r}} + \sigma_{\mathrm{p0}}A_{\mathrm{p}} - \sigma_{l5}A_{\mathrm{s}}} \qquad (4.2.10\text{-}5)$$

4.2.11 对于预应力高强钢丝绳张拉阶段预拉区允许出现拉应力的构件和预压时全截面受压的构件，在预应力高强钢丝绳的预加力、原有预应力筋的预加力、自重及施工荷载作用下截面边缘的混凝土法向应力宜按下列公式计算：

$$\sigma_{\mathrm{cc}} = \sigma_{\mathrm{pc}} + \frac{M_{\mathrm{k}}y_0}{I_0} \qquad (4.2.11\text{-}1)$$

$$\sigma_{\mathrm{ct}} = \sigma_{\mathrm{pc}} - \frac{M_{\mathrm{k}}y_0}{I_0} \qquad (4.2.11\text{-}2)$$

$$\sigma_{\mathrm{cc}} \leqslant 0.8f_{\mathrm{c0,k}} \qquad (4.2.11\text{-}3)$$

$$\sigma_{\mathrm{ct}} \leqslant f_{\mathrm{t0,k}} \qquad (4.2.11\text{-}4)$$

式中： σ_{ct}——施工阶段计算截面预拉区边缘纤维的混凝土拉应力；

σ_{cc}——施工阶段计算截面预压区边缘纤维的混凝土压应力；

$f_{\mathrm{t0,k}}$、$f_{\mathrm{c0,k}}$——分别为原构件混凝土抗拉强度标准值、抗压强度标准值；

M_{k}——构件自重及施工荷载的标准组合在计算截面产生的弯矩值。

4.2.12 受弯加固锚固系统的锚具与锚板之间采用焊接方式连接时，其设计计算应按现行国家标准《钢结构设计规范》GB 50017 执行。

4.2.13 锚固系统的锚板通过胶粘剂、锚栓或植筋与原混凝土结构连接成整体时，其设计计算应按现行行业标准《混凝土结构后锚固技术规程》JGJ 145 的规定执行。

4.3 受剪加固设计

4.3.1 预应力高强钢丝绳对受弯构件的斜截面受剪加固时，应符合下列规定：

1 当高强钢丝绳采用封闭形、U 形、L 形或 I 形时，其张拉方向应与构件纵轴垂直（图 4.3.1）；

2 高强钢丝绳的有效高度（h_r）应为梁底至锚具顶面竖向长度。

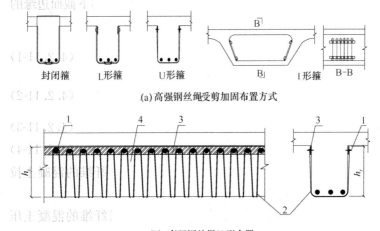

封闭箍　　L 形箍　　U 形箍　　　　　　　　　　I 形箍　　B-B

(a)高强钢丝绳受剪加固布置方式

(b) 高强钢丝绳 U 形布置

1—锚栓；2—钢丝绳；3—锚板；4—待加固混凝土构件

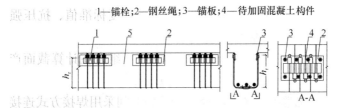

(c) 高强钢丝绳 L 形布置

图 4.3.1　高强钢丝绳受剪箍布置及缠绕方式

1—锚具；2—锚板；3—锚栓；4—钢丝绳；5—待加固混凝土构件

4.3.2 预应力高强钢丝绳对受弯构件斜截面受剪加固时，其受剪截面应符合下列规定：

24

1 当 $h_w/b \leqslant 4$ 时

$$V \leqslant 0.25\beta_c f_{c0} b h_0 \qquad (4.3.2\text{-}1)$$

2 当 $h_w/b \geqslant 6$ 时

$$V \leqslant 0.20\beta_c f_{c0} b h_0 \qquad (4.3.2\text{-}2)$$

3 当 $4 < h_w/b < 6$ 时，应按线性内插法确定。

式中：V ——构件加固后剪力组合设计值；

β_c ——混凝土强度影响系数，当混凝土强度等级不超过 C50 时，取 $\beta_c = 1.0$，当混凝土强度等级为 C80 时，取 $\beta_c = 0.8$，其间按线性内插法确定；

b ——矩形截面的宽度、T 形截面或 I 形截面的腹板宽度；

h_0 ——截面的有效高度，按原构件取值；

h_w ——截面腹板高度，对矩形截面取有效高度，对 T 形截面取有效高度减去翼缘高度，对 I 形截面取腹板净高。

4.3.3 预应力高强钢丝绳对矩形、T 形、I 形钢筋混凝土梁斜截面受剪加固时，其受剪承载力应按下列公式确定：

$$V \leqslant V_{b0} + V_{br} \qquad (4.3.3\text{-}1)$$

$$V_{br} \leqslant \psi_{v1} \psi_{v2} f_r A_r h_r / s_r \qquad (4.3.3\text{-}2)$$

式中：V ——构件加固后剪力组合设计值；

V_{b0} ——未加固梁的斜截面受剪承载力，按现行国家标准《混凝土结构设计规范》GB 50010 的规定计算；

V_{br} ——高强钢丝绳受剪加固对斜截面受剪承载力的提高设计值；

ψ_{v1} ——高强钢丝绳布置方式影响系数，按表 4.3.3 的规定取值；

ψ_{v2} ——高强钢丝绳受剪强度折减系数，对于普通构件，$\psi_{v2} = 0.4$，对于框架或悬挑构件，$\psi_{v2} = 0.25$；

f_r ——高强钢丝绳抗拉强度设计值；

A_r ——配置在同一截面处构成环形箍或 U 形箍的高强钢丝绳的全部计算截面面积；

h_r——梁侧面配置的高强钢丝绳箍筋的竖向高度，按混凝土构件受拉边缘至锚具上表面的距离取值；

s_r——高强钢丝绳箍筋的间距。

表 4.3.3　高强钢丝绳布置方式影响系数（ψ_{v1}）

钢丝绳箍筋的构造		封闭形	其他形式
受力条件	均布荷载或剪跨比 $\lambda \geqslant 3$	0.95	0.80
	剪跨比 $\lambda \leqslant 1.5$	0.60	0.50

注：1　当 $1.5 < \lambda < 3$ 时，按线性内插法确定 ψ_{v1} 值；
　　2　其他形式是指 U 形、L 形、I 形箍。

4.4　柱受压及抗震加固设计

4.4.1　混凝土柱受压及抗震加固时，预应力高强钢丝绳应沿环向连续缠绕，并应优先采用双向缠绕方式。对于抗震加固，钢丝绳应贯通节点核心区（图 4.4.1）。当抗震加固框架柱时，预应

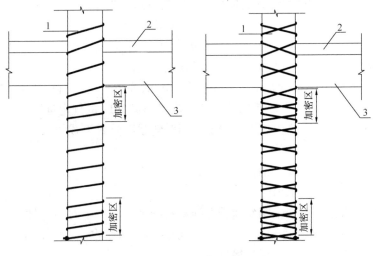

(a) 单向缠绕　　　　　　　(b) 双向缠绕

图 4.4.1　钢丝绳绕柱布置图

1—原结构柱；2—原结构板；3—原结构梁

力高强钢丝绳的加密区范围应取柱截面长边尺寸（或圆形截面直径）、柱净高的 1/6 和 500mm 中的最大值；一、二级抗震等级的角柱应沿柱全高加密。底层柱的抗震加固加密区长度不应小于该层柱净高的 1/3。

4.4.2 预应力高强钢丝绳端部应可靠锚固，宜采用快速固化环氧树脂将钢丝绳锚头斜向植入构件的原混凝土内，或采用植筋锚固（图 4.4.2）。

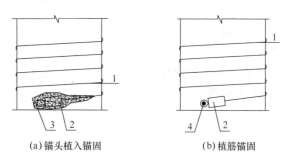

(a) 锚头植入锚固　　　　　　(b) 植筋锚固

图 4.4.2　钢丝绳绕柱端部锚固方式
1—钢丝绳；2—锚头；3—Ⅰ级砂浆；4—植筋

4.4.3 预应力高强钢丝绳受压及抗震加固矩形柱时，矩形柱截面的长边尺寸与短边尺寸之比不宜大于 1.5。

4.4.4 预应力高强钢丝绳受压加固钢筋混凝土柱时，其轴心抗压强度设计值应按下列公式计算：

$$f_{cc} = f_{c0} + 4.0k_s k_r f_l / f_{c0,k} \tag{4.4.4-1}$$

$$f_l = \frac{2f_r A_r}{D s_r} \tag{4.4.4-2}$$

式中：f_{cc}——高强钢丝绳加固后，柱的轴心抗压强度设计值；

f_r——高强钢丝绳抗拉强度设计值；

A_r——高强钢丝绳计算截面面积；

f_l——高强钢丝绳对混凝土柱（等效）侧向约束力；

$f_{c0,k}$——原构件混凝土轴心抗压强度标准值；

f_{c0}——原构件混凝土轴心抗压强度设计值；

k_r ——矩形截面长宽比影响系数，取 $\left(\dfrac{b}{h}\right)^{1.4}$，$b$ 为短边尺寸，h 为长边尺寸；

D ——圆形截面直径或矩形截面等效圆截面直径（取矩形截面长边边长）；

s_r ——高强钢丝绳缠绕间距；

k_s ——截面形状系数，圆形截面 $k_s = 1.0$，矩形截面 $k_s = 0.5$。

4.4.5 预应力高强钢丝绳受压加固钢筋混凝土柱时，其正截面受压承载力设计值应按下列公式确定，且按该方法算得的构件加固后受压承载力设计值的提高幅度不宜超过 50%：

1 纵向钢筋配筋率小于或等于 3% 时：

$$N_u \leqslant 0.9(f_{cc}A + f'_{y0}A'_{s0}) \tag{4.4.5-1}$$

2 纵向钢筋配筋率大于 3% 时：

$$N_u \leqslant 0.9[f_{cc}(A - A'_{s0}) + f'_{y0}A'_{s0}] \tag{4.4.5-2}$$

式中：N_u ——正截面受压承载力设计值；

A ——构件截面面积；

A'_{s0} ——原构件纵向钢筋面积；

f'_{y0} ——原构件纵向钢筋抗压强度设计值。

4.4.6 预应力高强钢丝绳受压加固钢筋混凝土柱时，柱的长细比应符合下列规定：

1 圆形截面柱

$$l_0/d \leqslant 7 \tag{4.4.6-1}$$

2 矩形截面柱

$$l_0/b \leqslant 8 \tag{4.4.6-2}$$

式中：l_0 ——加固柱计算长度；

d ——圆形截面直径；

b ——矩形截面短边尺寸。

4.4.7 预应力高强钢丝绳抗震加固钢筋混凝土柱时，柱端加密区的总折算体积配箍率（ρ_v）应符合现行国家标准《混凝土结构设计规范》GB 50010 对柱端箍筋加密区体积配箍率的规定，并应按下列公式计算：

$$\rho_v \geqslant \lambda_v \frac{f_{c0}}{f_{yv,0}} \qquad (4.4.7\text{-}1)$$

$$\rho_v = \rho_{v,sv} + \rho_{v,r} \qquad (4.4.7\text{-}2)$$

$$\rho_{v,r} = k_s k_r \frac{A_r u_r}{s_r A} \cdot \frac{\psi_e f_r}{f_{yv,0}} \qquad (4.4.7\text{-}3)$$

式中：ρ_v ——柱端加密区的总折算体积配箍率；

$\rho_{v,sv}$ ——被加固柱原有的体积配箍率，按原有箍筋范围以内的核心面积计算；

λ_v ——最小配箍特征值，按现行国家标准《混凝土结构设计规范》GB 50010 取值；

$f_{yv,0}$ ——原箍筋抗拉强度设计值；

$\rho_{v,r}$ ——由钢丝绳构成的环向围束作为附加箍筋计算得到的箍筋体积配箍率的增量；

A_r ——高强钢丝绳计算截面面积；

f_r ——高强钢丝绳抗拉强度设计值；

ψ_e ——高强钢丝绳抗震加固强度折减系数，取 $\psi_e = 0.4$；

u_r ——柱截面周长；

s_r ——高强钢丝绳间距；

k_s、k_r ——分别为截面形状系数和矩形截面长宽比影响系数，按本规程第 4.4.4 条的规定取值；

A ——构件截面面积。

4.5 构 造 要 求

4.5.1 预应力高强钢丝绳受弯加固混凝土梁，当加固量较大时，可在梁底布置双层高强钢丝绳，两层钢丝绳锚具应交叉设置，且内层锚具宜比外层锚具低 10mm 及以上（图 4.5.1）。

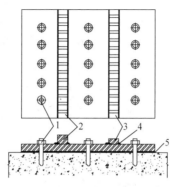

(a)锚具安装布置图

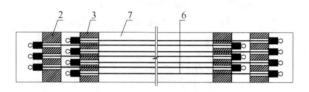

(b)预应力高强钢丝绳布置图

图 4.5.1　预应力高强钢丝绳双层布置构造

1—锚栓；2—外层锚具；3—内层锚具；4—焊缝；5—结构胶；

6—钢丝绳；7—原结构梁

4.5.2 预应力高强钢丝绳受剪加固混凝土梁，可根据工程情况选择布置方式，并应符合下列规定（图 4.5.2）：

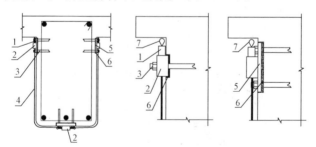

图 4.5.2　受剪加固锚具布置构造

1—锚头；2—锚具；3—锚栓；4—钢丝绳；5—锚板；

6—Ⅰ级砂浆；7—端头

1 宜选用封闭箍形式；当采用其他布置形式时，高强钢丝绳的布置高度不应小于梁高的 3/4；

2 锚具上边缘至混凝土上翼缘下表面的距离不应小于锚头与钢丝绳端头尺寸之和；

3 当高强钢丝绳绕过构件的棱角时，棱角处应倒角处理，且倒角半径不应小于 25mm；

4 高强钢丝绳的布置间距不应大于 200mm。

4.5.3 高强钢丝绳受压及抗震加固混凝土柱时，应符合下列规定：

1 对于矩形柱（图 4.5.3），原构件截面四角应倒角处理，且倒角半径（r）不应小于 30mm；

2 高强钢丝绳缠绕柱，当钢丝绳局部松弛时，应加圆钢棒或钢片绷紧；

3 高强钢丝绳的缠绕间距应分布均匀，对于重要构件，间距不应大于 15mm，对于一般构件，间距不应大于 30mm。

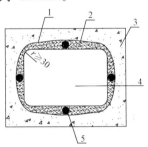

图 4.5.3　钢丝绳缠绕构造

1—钢丝绳；2—Ⅰ级砂浆；

3—Ⅱ级砂浆；4—原混凝

土柱；5—圆钢棒

4.5.4 锚固系统安装前，原结构混凝土应开槽，混凝土开槽深度不宜小于锚板厚度，并不得破坏原结构构件受力钢筋。

4.5.5 砂浆应分层涂抹，第一层应采用Ⅰ级砂浆涂抹于原结构表面，涂抹厚度不小于高强钢丝绳直径。第二层可采用Ⅱ级砂浆或细石混凝土涂抹，两层砂浆的厚度之和不应大于 40mm。

4.5.6 原混凝土结构表面应植筋（图 4.5.6）。植筋宜为直径 6mm 的钢筋，植筋深度不应小于 50mm。端部外露部分应设置 90°或 180°弯头，植筋间距不应大于 500mm。

4.5.7 当预应力高强钢丝绳加固混凝土结构构件时，应垂直于受力钢丝绳的方向均匀设置分布钢丝绳，分布钢丝绳的直径不应小于加固用钢丝绳直径，且间距不应大于 200mm。

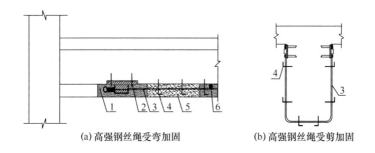

(a) 高强钢丝绳受弯加固   (b) 高强钢丝绳受剪加固

图 4.5.6 混凝土结构加固面植筋构造

1—Ⅰ级砂浆；2—锚栓；3—钢丝绳；4—弯头植筋；5—Ⅱ级砂浆；6—圆钢棒

5 施 工

5.1 一 般 规 定

5.1.1 预应力高强钢丝绳加固混凝土结构构件施工应由具有专业施工资质的企业承担。

5.1.2 预应力高强钢丝绳加固混凝土结构构件时，应完全卸除作用在被加固构件上的活荷载，并应计算加固对结构中其他构件可能产生的影响。

5.1.3 当施工环境温度低于5℃时，应停止砂浆、胶粘剂、锚固胶或植筋胶的施工或采取有效的保温措施。

5.1.4 施工材料进场应按本规程第6章节进行检验，并应按说明书要求使用或操作。

5.1.5 胶粘剂、锚固胶或植筋胶的施工界面应干燥，每次的拌合量宜在30min内使用完毕。

5.2 表 面 处 理

5.2.1 加固施工前，应清除被加固结构构件表面的剥落、疏松、蜂窝、腐蚀等劣化混凝土，并应凿毛处理，露出混凝土新鲜骨料，表面粗糙度不应小于5mm。

5.2.2 除受弯加固外，应对混凝土结构构件的棱角进行倒角处理。

5.2.3 混凝土结构构件经凿毛、倒角处理后，应去除浮浆、浮尘等杂质，并应在涂抹砂浆前涂刷界面剂。

5.3 锚固系统定位安装

5.3.1 锚具应按设计制作，并应与锚板焊接，且焊接应在锚板锚固施工前完成。

5.3.2 锚板锚固位置应按设计放线、定位、开槽。

5.3.3 锚板与混凝土接触面应采用涂抹或灌注的方式满涂胶粘剂，并应通过锚栓或植筋将锚板与原结构锚固成一体。

5.3.4 胶粘剂、锚固胶、植筋胶等应在完全固化并达到强度要求后，方能进行高强钢丝绳的张拉施工。

5.4 高强钢丝绳下料及锚固

5.4.1 预应力高强钢丝绳受弯加固混凝土梁施工时，应按下列规定进行预应力高强钢丝绳下料及张拉：

1 钢丝绳下料前，应先通过试验实测张拉控制应力下拉应变（ε）、锚具外缘尺寸（L_i），并应按下式计算预应力高强钢丝绳的下料长度（L_0）（图5.4.1-1）：

$$L_0 = L_i/(1+\varepsilon) + 2L_e \qquad (5.4.1)$$

式中：L_e ——钢丝绳锚固端预留长度（mm）。

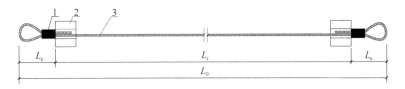

图 5.4.1-1　预应力高强钢丝绳的下料长度
1—锚头；2—锚具；3—钢丝绳

2 每根预应力高强钢丝绳应在其设置的槽道内预紧，并应编号与锚具槽道一一对应。

3 预应力高强钢丝绳端部应折成双股穿入套管内孔，采用挤压模具对套管强力挤压，使预应力高强钢丝绳与挤压套管形成整体（图5.4.1-2）。套管挤压前，模具接合面及膜腔应预先清洁；挤压时，套管截面长轴应与加压方向一致，且套管应与模腔槽口完全对齐后再实施挤压；挤压锚头应一次压制完成，且在挤压过程中不得损伤钢丝绳。

4 锚头外观及尺寸应逐一检验，表面应光滑，无裂纹、飞

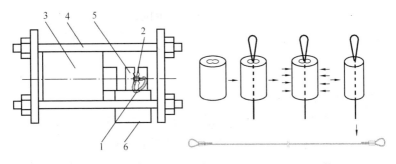

(a) 锚头压制示意   (b) 锚头压制过程示意

图 5.4.1-2　锚头压制

1—钢丝绳；2—铝合金套管；3—千斤顶；4—反力架；

5—压制模具；6—模具底座

边和毛刺，尺寸应符合本规程表 3.4.3 的规定。

　　5　预应力高强钢丝绳张拉前，应检查钢丝绳非张拉端锚头在锚具槽道内准确就位。

　　6　预应力高强钢丝绳张拉时应横向对称（图 5.4.1-3），对称轴两边张拉完成的高强钢丝绳的数量之差不应多于 3 根。

　　7　受弯加固混凝土结构构件的下表面与预应力高强钢丝绳之间应设置直径不小于 12mm 的圆钢棒。

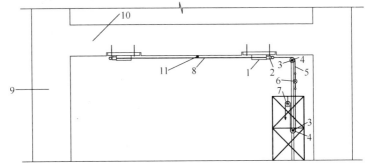

图 5.4.1-3　钢丝绳张拉示意

1—锚具；2—锚头；3—固定钢管；4—转向轮；5—张拉绳；

6—拉力计；7—张拉设备；8—钢丝绳；9—原结构混凝土柱；

10—被加固构件；11—反力点

35

5.4.2 预应力高强钢丝绳对混凝土梁斜截面受剪加固施工时，高强钢丝绳的下料及张拉应与受弯加固时预应力高强钢丝绳的下料及张拉方法一致。

5.4.3 预应力高强钢丝绳受压及抗震加固混凝土柱施工时，应符合下列规定：

    1 应根据柱截面周长、缠绕间距及缠绕高度确定钢丝绳下料长度，且下料长度应包括钢丝绳锚固端预留长度；

    2 应按设计要求在混凝土柱表面放线确定缠绕间距、锚固点位置，并应预先锚固高强钢丝绳缠绕起始点，待锚固材料完全固化并达到强度要求后再缠绕钢丝绳。

5.5 砂 浆 涂 抹

5.5.1 砂浆应分层涂抹，每层的压抹厚度不应超过 25mm，两层砂浆之间的涂抹时间间隔应以前一层砂浆初凝为准。

5.5.2 砂浆涂抹厚度，可采用埋设混凝土预制块的方法控制，达到设计厚度要求时，应作好压抹收光。

5.5.3 砂浆压抹收光后的 30min 至 4h 内，应进行养护，并应防止砂浆涂抹部位受到冲击。

5.5.4 砂浆干燥后宜进行表面涂装。

5.6 施 工 安 全

5.6.1 现场施工用电应符合现行行业标准《施工现场临时用电安全技术规范》JGJ 46 的规定，高处作业时应采取防护措施。

5.6.2 现场施工人员应采取相应的劳动保护措施。

6 检验与验收

6.1 检 验

6.1.1 高强钢丝绳应在加固工程现场取样检验，并应符合下列规定：

1 高强钢丝绳应每 5000m 作为一检验批次，每批次取样不应少于 10 根，不足 5000m 时，应按一批取样；

2 高强钢丝绳的尺寸、外形、重量、锌层质量等应按现行行业标准《镀锌钢绞线》YB/T 5004 规定验收。

6.1.2 锚固系统检验应符合下列规定：

1 锚具与锚板的材料应符合本规程第 3.4.7 条的规定，锚具与锚板焊接宜在工厂完成，焊接质量应按现行国家标准《钢结构焊接规范》GB 50661 的规定进行检验；

2 胶粘剂、锚固胶及植筋胶的类别、规格应符合设计要求，安全性指标应分别符合现行国家标准《混凝土结构加固设计规范》GB 50367 对粘钢用胶粘剂的规定和对锚固用胶粘剂 A 级胶的规定；

3 锚孔质量检查应包括锚孔位置、直径、深度、垂直度以及清孔情况等，按现行行业标准《混凝土结构后锚固技术规程》JGJ 145 的规定检验；

4 群锚纵横排列应符合设计规定，安装后的锚栓外观应排列整齐、外露部分长短一致。

6.1.3 高强钢丝绳及锚固系统检验应符合下列规定：

1 应测量高强钢丝绳的应力-应变关系曲线，试验方法及其力学性能应按本规程附录 A 规定执行；

2 锚头应做静拉力试验检验，对于承受动力荷载的结构还宜进行振动冲击试验检验，并应符合下列规定：

1）锚头应制成钢丝绳锚固试样进行静拉力试验，且每1000 根高强钢丝绳随机抽检 5 根，不足 1000 根时，按 5 根取样；

2）锚头静拉力试验应在预应力锚具试验机上进行，并应采用与实际工程相同的锚头、锚具；在加载至高强钢丝绳破断前，锚头应无滑移；加载至钢丝绳破断时，锚头不得损坏；

3）振动冲击试验在疲劳机上进行，锚头应承受沿钢丝绳轴向的交变应力，交变应力值应为钢丝绳最小破断拉力的 15%～30%，试验频率不得超过 250 次/min，振动冲击次数不得小于 $1×10^5$ 次，锚头应无滑移、裂纹；

4）任一根试样静拉力试验或振动冲击试验不合格时，应加倍抽样检验，再不合格时，应判定为不合格，并应重新选料；

3 预应力高强钢丝绳张拉控制应力应采用拉力计检验、校核，拉力值偏差应在±100N 范围内，且拉力计应每张拉 2000 根标定一次；

4 预应力高强钢丝绳张拉后，应逐根检查预应力度是否张拉到位，锚头有无滑移，发现异常应及时更换处理。

6.1.4 砂浆涂抹检验应符合下列规定：

1 砂浆在施工过程中应留样检验，应每 200m² 取样一批，不足 200m² 按一批取样，每批取样测试抗折、抗压强度两个指标，每个指标试件留样不得少于 1 组；

2 砂浆涂抹质量可用小锤敲击法检查，单块空鼓面积超过 10cm² 时，应凿除表层砂浆，重新涂抹密实。

6.2 验　收

6.2.1 加固工程验收时，应提供下列文件：

1 施工图设计文件及材料检验报告、施工质量检验记录等文件；

2 钢丝绳、砂浆、锚栓、胶粘剂等材料的出厂合格证书、检测报告、进场后的复验报告；

3 施工过程记录。

6.2.2 锚固系统验收应符合下列规定：

1 锚具及槽道尺寸应符合本规程表3.4.5的规定；

2 锚具与锚板之间焊缝应饱满，表面无裂纹、气孔、夹渣等，焊缝高度不应小于设计要求；

3 锚栓或植筋的直径、位置及植入深度等应符合设计要求；

4 锚板边缘的溢胶应色泽均匀，胶体应完全固化；

5 隐蔽工程应检查过程控制质量检查记录，包括锚具及槽道尺寸检查、焊缝检查、锚孔质量检查、胶粘剂均匀性检查记录等。

6.2.3 钢丝绳及锚头验收时，应检查下列内容：

1 钢丝绳力学性能检验报告；

2 锚头外观；

3 锚头静拉力试验检验报告；

4 预应力钢丝绳伸长量、张拉力值记录。

6.2.4 砂浆性能指标应符合本规程表3.3.1的规定。砂浆涂抹现场验收时，应检查砂浆涂抹层厚度检查记录、空鼓检验结果及整改记录。

6.2.5 工程验收时，除应对检验项目的文件资料进行检查与验收外，还应到工程现场进行逐项检验、验收。

附录 A　高强钢丝绳强度、弹性模量、伸长率试验方法

A.1　试验设备与试样

A.1.1　试验机的量程应与试样的破坏荷载相适应，且试验机的最大试验力不应超过钢丝绳破断力的 5 倍。高强钢丝绳试样的最小有效长度应符合表 A.1.1 的规定。

表 A.1.1　高强钢丝绳试样的最小有效长度

钢丝绳公称直径 (d)	试样最小有效长度 L（mm）
$d \leqslant 6$	300
$6 < d \leqslant 20$	600

注：试样长度等于试样最小有效长度（L）加上夹持长度，特殊情况需在试验报告中说明。

A.1.2　高强钢丝绳力学性能试验的每组试样不应少于 10 根，试样制备方法应符合本规程第 3.4 节的规定。

A.2　试验条件与过程

A.2.1　试验应在 10℃～35℃的室温下进行，当有特殊要求时，试验温度应控制在 18℃～28℃范围。

A.2.2　试验时，应将钢丝绳试样用销钉安装在试验机插孔上（图 A.2.2），并应使试样轴线与夹头轴线相重合，销钉直径不应小于钢丝绳直径的 3 倍。

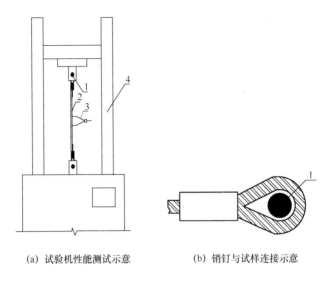

(a) 试验机性能测试示意　　　　(b) 销钉与试样连接示意

图 A.2.2　高强钢丝绳试验
1—试件连接销钉；2—钢丝绳试样；3—引伸计；
4—万能试验机

A.2.3　试验机宜配置引伸计，也可采用应变计代替，引伸计或应变计应安装于钢丝绳试样的中部区域，试验加载速度宜为 2mm/min。

A.3　试验结果与评定

A.3.1　高强钢丝绳实测破断力应以整股钢丝断裂时测得的荷载值作为试样破断拉力，其抗拉强度应按下式计算：

$$f_{r,i} = \frac{F_{u,i}}{A_r}$$　　　　（A.3.1）

式中：$f_{r,i}$——第 i 根高强钢丝绳抗拉强度（MPa）；

$F_{u,i}$——第 i 根高强钢丝绳破断拉力（N）；

A_r——高强钢丝绳计算截面积，即钢丝截面积之和（mm²），按本规程表 A.3.5 取值。

A.3.2　高强钢丝绳弹性模量应取 20%～60%破断拉力对应强度

与变形量的比值的平均值，并应按下列公式计算：

$$E_{r,i} = \frac{(F_{2,i} - F_{1,i})}{A_r(\varepsilon_{2,i} - \varepsilon_{1,i})} \qquad (A.3.2-1)$$

$$E_{rw} = \frac{1}{10} \sum_{i=1}^{10} E_{r,i} \qquad (A.3.2-2)$$

式中：$E_{r,i}$——第 i 根高强钢丝绳弹性模量（GPa）；

$F_{1,i}$——第 i 根高强钢丝绳 20% 破断拉力（N）；

$F_{2,i}$——第 i 根高强钢丝绳 60% 破断拉力（N）；

$\varepsilon_{1,i}$——第 i 根高强钢丝绳 20% 破断拉力时对应的试样应变；

$\varepsilon_{2,i}$——第 i 根高强钢丝绳 60% 破断拉力时对应的试样应变。

A.3.3 高强钢丝绳强度标准值（f_{rk}）应按一组试样的极限抗拉强度确定，并应按下列公式计算，且应具有不小于 95% 的保证率：

$$\bar{f}_r = \frac{1}{10} \sum_{i=1}^{10} f_{r,i} \qquad (A.3.3-1)$$

$$\sigma = \sqrt{\frac{\sum_{i=1}^{n} (f_{r,i} - \bar{f}_r)^2}{10-1}} \qquad (A.3.3-2)$$

$$f_{rk} = \bar{f}_r - 1.645\sigma \qquad (A.3.3-3)$$

式中：f_{rk}——高强钢丝绳的强度标准值（MPa）；

$f_{r,i}$——第 i 根高强钢丝绳强度（MPa）；

$\bar{f}_r$——一组高强钢丝绳强度平均值（MPa）；

σ——一组高强钢丝绳强度标准差（MPa）。

A.3.4 高强钢丝绳伸长率应为应变计直接测得或利用引伸计间接测得。利用引伸计测试时，应为试样断裂时的引伸计标距内钢丝绳的伸长量与引伸计原始标距的比值，应按下列公式确定：

$$\delta_{r,i} = \frac{\Delta l}{l_0} \times 100\% \qquad (A.3.4-1)$$

$$\overline{\delta}_r = \frac{1}{10} \sum_{i=1}^{10} \delta_{r,i} \qquad (\text{A.3.4-2})$$

式中：$\delta_{r,i}$ ——第 i 根高强钢丝绳伸长率；

Δl ——引伸计标距内的伸长值（mm）；

l_0 ——引伸计标距（mm）；

$\overline{\delta}_r$ ——一组高强钢丝绳伸长率平均值。

A.3.5 高强钢丝绳计算截面面积可按表 A.3.5 取值。

表 A.3.5 高强钢丝绳计算截面面积

种类	钢丝绳公称直径 （mm）	钢丝直径 （mm）	计算截面面积 （mm²）
1×19	3.0	0.6	5.370
	4.5	0.9	12.08
	5.0	1.0	14.92
	5.5	1.1	18.06
	6.0	1.2	21.49
	7.0	1.4	29.25

A.3.6 当出现下列情况之一时，应作为无效试样，且一组试样中无效试样超过 2 个时，应重新取样测试：

1 试样在距锚头 30mm 内破断；

2 试样伸长率达不到本规程第 3 章的规定。

附录 B 铝合金套管材质及规格

B.0.1 铝合金套管宜采用现行国家标准《钢丝绳铝头压制标准》GB/T 6946、《铝及铝合金挤压棒材》GB/T 3191 中 LFZ、LF21 铝合金材料制造，且抗拉强度应大于 170MPa，伸长率不应小于 20%。

B.0.2 铝合金套管规格（图 B.0.2）宜符合表 B.0.2 的规定。

表 B.0.2 铝合金套管规格（mm）

套管型号	套管壁厚 (a)	套管内孔宽 (b)	套管内孔高 (c)	套管长度 (L)
3	2.5	7.8	3.8	20
4	2.5	9.6	4.8	25
5	3.0	12.6	6.2	32
6	3.5	14.2	7.0	35
7	3.8	16.2	8.0	38

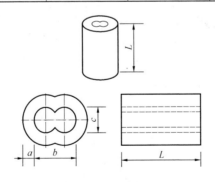

图 B.0.2 套管构造

本规程用词说明

1 为了便于在执行本规程条文时区别对待，对要求严格程度不同的用词说明如下：

  1）表示很严格，非这样做不可的：
   正面词采用"必须"，反面词采用"严禁"；
  2）表示严格，在正常情况下均应这样做的：
   正面词采用"应"，反面词采用"不应"或"不得"；
  3）表示允许稍有选择，在条件许可时首先应这样做的：
   正面词采用"宜"，反面词采用"不宜"；
  4）表示有选择，在一定条件下可以这样做的，采用"可"。

2 条文中指明应按其他有关标准执行的写法为："应符合……的规定"或"应按……执行"。

引用标准名录

1 《混凝土结构设计规范》GB 50010
2 《建筑防火设计规范》GB 50016
3 《钢结构设计规范》GB 50017
4 《混凝土结构加固设计规范》GB 50367
5 《钢结构焊接规范》GB 50661
6 《铝及铝合金挤压棒材》GB/T 3191
7 《预应力混凝土用钢绞线》GB/T 5224
8 《钢丝绳铝头压制标准》GB/T 6946
9 《钢丝绳破断拉伸试验方法》GB/T 8358
10 《施工现场临时用电安全技术规范》JGJ 46
11 《混凝土结构后锚固技术规程》JGJ 145
12 《镀锌钢绞线》YB/T 5004

中华人民共和国行业标准

预应力高强钢丝绳加固混凝土
结构技术规程

JGJ/T 325－2014

条 文 说 明

制 订 说 明

《预应力高强钢丝绳加固混凝土结构技术规程》JGJ/T 325 - 2014，经住房和城乡建设部 2014 年 2 月 28 日以第 331 号公告批准、发布。

本规程编制过程中，编制组进行了混凝土结构构件加固技术的调查研究，总结了我国工程建设现有混凝土结构构件加固技术的实践经验，同时参考了国外先进技术法规、技术标准，通过"预应力高强钢丝绳加固混凝土结构构件的结构试验与理论研究"，取得了预应力钢丝绳抗弯、抗剪、抗震加固混凝土结构的设计分析的重要技术参数。

为便于广大设计、施工、科研、学校等单位有关人员在使用本规程时能正确理解和执行条文规定，《预应力高强钢丝绳加固混凝土结构技术规程》编制组按章、节、条顺序编制了本规程的条文说明，对条文规定的目的、依据以及执行中需注意的有关事项进行了说明。但是，本条文说明不具备与规程正文同等的法律效力，仅供使用者作为理解和把握规程规定的参考。

目　次

1 总　　则

1.0.1　由于各种原因导致混凝土结构构件的承载力退化，或由于使用功能的变化、荷载等级提高，大量的混凝土结构构件需要加固和修复。现有的混凝土结构构件加固技术存在或施工复杂、成本高，或承载力和刚度提高不明显，或不防火等局限性，不能满足工程界对加固技术的期望要求。本规程提出的预应力高强钢丝绳加固混凝土结构构件技术是一种新型加固技术，在基本不增加结构自重、不减少建筑物空间的前提下，同时显著提高结构构件的刚度和最大承载力，使加固材料充分发挥作用。制定本规程，是为了在确保预应力高强钢丝绳加固工程质量的前提下，大力发展新技术，以获得更好的经济效益和社会效益，并使该技术在混凝土结构加固领域中应用规范化。

1.0.2　本规程为房屋建筑、中小跨径桥梁和一般构筑物的加固设计、施工及验收提供依据。混凝土结构构件因设计失误、施工质量或材料质量不符合要求、使用功能改变、荷载增加或因自然灾害等遭到的损坏，均可以采用此方法加固处理。

1.0.3　混凝土结构构件加固之前，对原结构进行检测、鉴定或评估，以确定结构及其构件的实际状况，可以为预应力高强钢丝绳加固混凝土结构构件的设计和施工提供基本依据。

1.0.4　在执行本规程的同时，需配套执行国家现行有关标准。

2 术语和符号

2.1 术　语

2.1.1～2.1.7 定义了本规程采用的相关术语。

"高强钢丝绳"的定义指高强不锈钢钢丝绳及高强镀锌钢丝绳，可应用于混凝土结构构件受弯加固、受剪加固、受压及抗震加固。

2.2 符　号

2.2.1～2.2.4 本规程采用的符号及其意义，主要是根据现行国家标准《工程结构设计基本术语和通用符号》GBJ 132、《混凝土结构设计规范》GB 50010 和《混凝土结构加固设计规范》GB 50367 而确定的。国家现行标准中未规定的，本规程结合国内的惯例自行给出了定义和说明。

3 材 料

3.1 一 般 规 定

3.1.1 高强钢丝绳的性能指标需要按本规程附录 A 规定的试验方法进行检测，并出具检测报告，以确保达到本规程规定的要求。避免使用不符合本规定的产品进行加固，造成加固效果降低或加固失效。

3.1.2 适用温度条件是由普通型结构胶粘剂的性能确定的。当采用耐环境温度的胶粘剂时，不受此限制，但应符合现行国家标准《混凝土结构设计规范》GB 50010 对混凝土结构承受高温的限制要求。

3.1.3 耐环境影响是指耐高温、耐水、耐腐蚀性等。

3.2 钢 丝 绳

3.2.1~3.2.3 本规程规定采用的高强钢丝绳是按现行行业标准《镀锌钢绞线》YB/T 5004 中 1×19 结构钢绞线进行制作的，钢丝要符合现行行业标准《制绳用钢丝》YB/T 5343 的重要用途钢丝的规定。编制组经过大量的试验选出了适用于本规程所规定的锚固技术的钢丝绳，直径范围 3.0mm～7.0mm，其标准值是经实验室大量材性实验统计得出。

本规程规定的产品性能是最低要求，表 3.2.1 给出钢丝绳的两种等级，生产厂家提供的产品性能需要满足本规程规定才能在工程中应用。高强钢丝绳抗拉强度标准值（f_{rk}）取值按本规程附录 A.3 试验结果与评定规定取值，其强度设计值为抗拉强度标准值除以材料分项系数，材料分项系数按普通预应力钢丝的材料分项系数取值，本规程取 1.47。

3.2.4 本规程附录 A 规定的测试方法是根据现行国家标准《钢

丝绳破断拉伸试验方法》GB/T 8358 中推荐的第二种测试方法改进的，该方法方便简单，推荐使用。

3.2.5 高强钢丝绳的应力松弛性能测试方法按照预应力钢绞线的标准测试。若一次张拉松弛达不到规定的要求，应在48h后进行二次张拉。

3.2.6 钢丝绳若涂有油脂，其与锚固砂浆、防护砂浆的粘结力将大大下降，所以作出本规定。

3.2.7、3.2.8 目前我国不锈钢钢丝绳的价格比较昂贵，耐腐蚀效果比较好，因此本规程引入高强镀锌钢丝绳。在腐蚀环境中选用不锈钢钢丝绳，一般环境下选用镀锌钢丝绳，但也应采取有效的防锈措施。

3.3 砂 浆

3.3.1 本条给出的是砂浆性能指标的平均值，作为砂浆验收时的依据。作为材料的性能指标，原则上应该给出其性能指标标准值，但在本规程的设计计算中没有考虑砂浆的力学作用，所以这里没有给出，仅给出砂浆的验收依据。

3.3.2 本规程将所用砂浆分为 I、II 级砂浆，主要从性能上划分。端部锚固区砂浆兼有与锚具分担钢丝绳张拉力的作用，因此要求采用 I 级砂浆。反力支撑范围内砂浆具有粘结固定钢丝绳及钢棒的作用，同样要求采用 I 级砂浆。

3.3.4 目前市面上使用的、达到本规程中规定的砂浆一般为改性环氧类聚合物砂浆或改性丙烯酸酯共聚物乳液配制的聚合物砂浆，这些砂浆的粘结剪切性能需要经湿热老化检验合格。本条的规定是依据《混凝土结构加固设计规范》GB 50367 聚合物砂浆湿热老化试验规定给出的，试件需按该规范附录 J 的规定进行制作。

3.3.6 本条规定拌合后砂浆的使用时间限值，以防止某些快速凝固砂浆在还没有涂抹前就已经硬化。

3.4 锚固系统

3.4.1 锚固系统在预应力高强钢丝绳加固混凝土结构技术中，是决定加固成败的关键。锚板与混凝土结构之间通过胶粘剂粘结，同时锚板上分布有锚栓孔，通过锚栓或植筋进一步锚固。

3.4.2、3.4.3 规定了高强钢丝绳的套管质量及型号，以防铝合金套管质量不合格而影响高强钢丝绳的性能发挥。经大量试验测试总结，给出了套管挤压控制力及锚头尺寸，作为施工过程中质量控制及验收的依据。钢丝绳的挤压力即为挤压成型时，千斤顶显示力值。按照表中挤压力挤压成型的锚头，钢丝绳滑移、锚头劈裂的概率小，其锚固效率达到95％以上。钢丝绳的盘圈大小以适合施工为宜，为减小空间，在适合施工的情况下尽量盘小。

3.4.4 规定了铝合金套管选择原则，如当高强钢丝绳直径非整数时，按四舍五入选取套管号，如高强钢丝绳直径4.75mm，选用套管型号5。同时规定了高强钢丝绳套管及压制成型的锚头的外观质量要求，提供现场验收依据。锚头冲击试验时，冲击荷载是指锚头承受沿钢丝绳轴向的交变应力，其值为钢丝绳最小破断力的15％～30％，频率不超过250次/min，振动冲击次数不小于1×10^5次，观察试样有无滑移和裂纹。

3.4.5 根据试验室大量试验及工程应用经验总结，本条给出了高强钢丝绳锚具各部位最小尺寸的规定，以便合理、经济、安全地设计锚具。考虑到工程中高强钢丝绳能更好地锚固，张拉后防止滑出槽道，锚具槽道设计成上窄下宽的形状，上下口宽度相差2mm为宜。

3.4.6～3.4.9 规定了锚板的材质，以及在施工过程中烧焊质量、锚栓连接质量检验的标准，确保锚具、锚板安全可靠地与混凝土结构连接。

3.4.10 胶粘剂、锚固胶或植筋胶在混凝土结构加固中已经普遍应用，产品已经很成熟，各项性能指标及测试方法按现行国家标准《混凝土结构加固设计规范》GB 50367 的规定执行。

4 设 计

4.1 一 般 规 定

4.1.1 本条规定高强钢丝绳加固技术的使用范围,目前为止,高强钢丝绳对混凝土梁的受弯、受剪加固以及混凝土柱受压、抗震加固都做了较为系统的试验研究,并且得到工程的验证,特别是混凝土梁的受弯加固已经得到广泛应用。计算理论比较成熟,本规程给出几种加固方法的设计计算方法及构造规定。受弯加固时,预应力高强钢丝绳布置方向与受拉区的受力方向一致;在受剪加固时,高强钢丝绳与混凝土主拉应力方向一致,但为了施工方便,建议采用高强钢丝绳与结构构件纵轴垂直。受压及抗震加固时高强钢丝绳应封闭缠绕于柱身,能较好地提高受压及抗震能力。

4.1.2 在受弯加固时,若混凝土强度过低,施加预应力之后,原结构混凝土局部容易被压碎,失去预应力加固的意义。

4.1.3 本规程主要针对房屋建筑及中小跨度桥梁中钢筋混凝土结构构件的加固,根据现行国家标准《建筑结构可靠度设计统一标准》GB 50068,采用以概率理论为基础的极限状态设计方法确定加固计算方法,并与结构设计规范相协调。由于待加固结构材料性能退化,规定了钢筋和混凝土材料强度设计值应根据检测得到的实际强度推算。

4.1.4 预应力高强钢丝绳张拉时,钢丝绳布置密集,容易凌乱甚至交错,同时,钢丝绳长度过大时,容易在张拉完成后发生振动,因此,本条规定在钢丝绳超过 10m 时,应设置限位装置,9m 则不加限位,11m 应加限位。

4.1.5 张拉时采用伸长量及应力控制,伸长量按照本规程5.4.1规定方法确定。预应力高强钢丝绳与张拉机具之间连接拉力传感器，钢丝绳张拉达到计算伸长量时，若张拉应力与控制应力值有偏差时，可通过加钢垫片的方式校正偏差。钢垫片为预先加工的厚度 0.5mm、1.0mm，并带有 U 形槽的钢垫片，其 U 形槽的宽度略大于预应力高强钢丝绳直径。

4.1.6 根据工程经验并参考现行国家标准《混凝土结构设计规范》GB 50010 预应力混凝土结构构件的构造规定，给出曲线布置时的曲率半径不宜小于 4m。

4.1.7 砂浆中掺有一定量的聚合物，聚合物是可燃的，虽说砂浆本身不燃烧，但在高温中会失效。因此应按现行国家标准《建筑防火设计规范》GB 50016 规定的耐火等级及耐火极限要求进行检验与防护。

4.2 受弯加固设计

4.2.1 试验研究表明，预应力高强钢丝绳受弯加固混凝土梁、板构件，钢丝绳与原构件钢筋、混凝土有良好的共同变形，符合平截面假定。加固破坏形式是钢筋屈服、受压区混凝土压坏和钢丝绳断裂的延性破坏。因此，可采用经典的混凝土、预应力混凝土梁计算理论。

4.2.2 本条主要是限制预应力高强钢丝绳合力作用点至中和轴距离，以避免距离过小影响钢丝绳材料性能发挥。

4.2.3 在对负弯矩区进行加固时，由于靠近梁肋处的预应力高强钢丝绳可以较充分地发挥作用，而远离梁肋的预应力高强钢丝绳作用较小，故限制了钢丝绳的布置范围。

4.2.4 本条对受弯构件加固后的相对界限受压区高度 $\xi_{b,r}$ 作了规定，主要是为了避免加固量过大而导致超筋性质的脆性破坏。为保证加固后梁的延性，加固后的梁应不超筋，即其相对受压区高度 $\xi_{b,r}$ 必须小于界限相对受压区高度 ξ_b。

4.2.5 本条规定了预应力高强钢丝绳加固混凝土结构的计算方法。

4.2.6、4.2.7 本规程正常使用极限状态下最大裂缝限值计算公式及挠度计算公式参照现行国家标准《混凝土结构设计规范》GB 50010 确定。ρ_{te}、ρ_e 的计算计入预应力高强钢丝绳的面积，钢丝绳与混凝土结构粘结性能调整系数 κ_r 应根据钢丝绳与混凝土的粘结性能在 $0.5 \sim 1.0$ 之间选取，本规程偏于保守统一取 0.5；另外，在计算 d_{eq} 时，也计入了预应力高强钢丝绳的影响，其相对粘结特性系数 ν_i 取 0.5。受拉区纵向钢筋等效应力的计算考虑了受拉区预应力高强钢丝绳、受拉区原有预应力筋和普通钢筋的共同作用。

4.2.8 本条规定了预应力高强钢丝绳的预应力损失计算，从大量的结构试验及工程经验得出，在计算中应考虑：锚具变形损失 $\sigma_{lr,1}$，分批张拉损失 $\sigma_{lr,4}$，预应力高强钢丝绳的松弛损失 $\sigma_{lr,5}$。同时规定了预应力高强钢丝绳的张拉控制应力应不小于 $0.4f_{pk}$、不大于 $0.65f_{pk}$，控制应力过小则不能充分发挥材料的强度，造成浪费，若控制应力过大，则会引起预应力损失值增加。

4.2.9 本条规定了预应力高强钢丝绳受弯加固混凝土结构构件的应力计算，由预应力预先建立的混凝土法向应力，包括预应力高强钢丝绳的预加力产生的混凝土法向应力，以及既有结构原有预应力筋的预加力产生的混凝土法向应力。考虑结构加固，后张拉的预应力高强钢丝绳的预加力会造成原有预应力筋预加力的减小，其引起原有预应力筋的弹性压缩损失为 $\alpha_{Ep}m\Delta\sigma_{pc}$。

4.2.10 本条规定了原有预应力筋与普通钢筋合力、预应力高强钢丝绳的预加力及三者合力作用点的偏心距的计算方法，对于待加固原结构构件，无论原有预应力筋采用先张法，还是后张法，合力作用点偏心距的计算公式形式相同。

4.2.11 为了防止预应力钢丝绳张拉过程中，张拉过大，引起预拉区混凝土开裂或预压区混凝土压碎破坏，作了本条规定。

4.2.12、4.2.13 对锚具与锚板之间的连接及锚板与原混凝土结构的连接的计算作了规定，其分别按国家现行标准《钢结构设计规范》GB 50017 和《混凝土结构后锚固技术规程》GJG 145 执行。

4.3 受剪加固设计

4.3.1 预应力高强钢丝绳受剪加固混凝土结构构件，通过将钢丝绳张拉并锚固，建立一定的预应力，室内实验与工程实践均证明了预应力对受剪加固的有益效果，建议张拉控制应力 $0.2f_{pk}$～$0.3f_{pk}$ 之间，但由于受剪加固，钢丝绳长度较短，预应力的损失较大，施工中难以定量控制，暂未在计算中考虑预应力的影响。本条给出混凝土结构构件斜截面受剪加固钢丝绳的几种布置方式，供设计、施工单位根据加固要求及现场施工条件选择。

4.3.2 本条的规定与现行国家标准《混凝土结构设计规范》GB 50010 规定一致。

4.3.3 本条的预应力高强钢丝绳受剪加固混凝土结构构件的承载力计算公式是根据编制组的实验结果及工程实践经验，参照了现行国家标准《混凝土结构加固设计规范》GB 50367 中钢丝绳网片斜截面加固计算公式中的系数取值，给出了高强钢丝绳布置方式影响系数 ψ_{v1} 及受剪强度折减系数 ψ_{v2}。

4.4 柱受压及抗震加固设计

4.4.1 抗震加固时，预应力高强钢丝绳贯通节点核心区保证强节点的需求。同时，预应力高强钢丝绳因为是软绳可以通过打孔实现对节点的缠绕包裹，增强了节点，这是其他技术所不及的。

4.4.2 预应力高强钢丝绳的端部锚固直接影响到加固效果，本条给出两种锚固方法，经试验验证，效果很好，安全可靠。根据工程实际情况可选择使用，以保证锚固可靠。

4.4.3 采用预应力高强钢丝绳受压及抗震加固矩形柱时，当矩形柱截面的长边尺寸与柱短边尺寸之比过大时，加固效果很差。

4.4.4 采用预应力高强钢丝绳环向缠绕混凝土柱进行受压加固，其原理是以侧向约束提高其轴心抗压强度，编制组及哈尔滨工业大学等试验结果表明，对于圆截面试件，其提高强度与侧向约束力之间的关系系数约为 4.2～5.4，本规程偏于安全取 4.0，方形截面的提高效果约是圆形截面的 0.6 倍，本规程取矩形截面形状系数 $k_s = 0.5$；矩形截面长宽比对约束效果存在较大的影响，本规程参考纤维复合材料约束矩形柱的试验结果，取 $k_r = \left(\dfrac{b}{h}\right)^{1.4}$。

4.4.5 本条规定了预应力高强钢丝绳加固钢筋混凝土轴心受压构件正截面受压承载力计算方法，钢筋配筋率大于 3% 时，构件截面面积应考虑减去钢筋面积。

4.4.6 长细比过大时，结构构件发生失稳破坏，预应力高强钢丝绳约束效果难以发挥。

4.4.7 柱端加密区的总折算体积配箍率包括被加固柱原有的体积配箍率和由钢丝绳构成的环向围束作为附加箍筋计算得到的箍筋体积配箍率的增量，前者计算时，应按原有箍筋范围以内的核心面积计算，系数 k_s、k_r 取值同第 4.4.4 条，预应力高强钢丝绳抗震加固强度折减系数考虑了在低周反复荷载试验中加固钢丝绳实测应变值的大小。

4.5 构 造 要 求

4.5.1 预应力高强钢丝绳受弯加固混凝土梁，当结构构件截面宽度较小，单排钢丝绳布置空间不足，可采用双层交叉布置，双层布置与单层布置具有相同的加固效果。规定内层锚具比外层锚具低是为了方便钢丝绳在交叉布置时，钢丝绳可顺利跨越内层锚具。

4.5.2 本条规定了预应力高强钢丝绳受剪加固混凝土梁的构造要求。试验表明，封闭箍形式是最好形式，在可能的情况下应优先选用封闭箍形式；规定了锚具与混凝土上翼缘底部之间的最小距离，以保证钢丝绳在张拉后顺利卡入锚具槽道；规定了最小倒角半径，是为了减小棱角处的应力集中，并减小钢丝绳张拉过程的局部摩擦。

4.5.3 本条规定了预应力高强钢丝绳抗震加固矩形柱的构造。柱的倒角处理有利于增大截面核心有效约束区的面积，并减小棱角处的应力集中。预应力高强钢丝绳受压及抗震加固混凝土柱，要求钢丝绳紧贴柱身缠绕，并宜建立一定的预应力，对于矩形截面，可在截面四周中部设置圆钢棒或钢垫片以保证钢丝绳与柱身密贴；试验表明，钢丝绳缠绕间距过大时，钢丝绳容易发生个别缠绕环拉断引起整体剥落的破坏，故对其最大缠绕间距作了规定。

4.5.4 锚固系统安装处的原结构混凝土开槽，目的是将锚板嵌入槽内，以减小钢丝绳与待加固混凝土结构构件表面之间的距离，减少砂浆涂抹厚度，便于力的传递。

4.5.5 砂浆应分层涂抹，以降低砂浆的凝结收缩。规定了两层砂浆的最大厚度，以防止厚度过大易产生收缩裂缝。

4.5.6 为保证后涂抹砂浆层与原结构层的粘结，结构加固范围内原结构应进行植筋，植筋宜选用较小直径钢筋，钢筋外露一端应设置 90°或 180°弯头，在 180°弯钩不便施工时，可弯成 90°弯钩。

4.5.7 工程实践表明，垂直于加固钢丝绳设置分布钢丝绳非常有利于提高加固钢丝绳的整体工作性能，同时，增强了后加固层与原结构层之间的粘结性能。

5 施 工

5.1 一 般 规 定

5.1.1 由于高强钢丝绳加固混凝土结构是一种新技术，具有不同于其他加固方法的特殊性，故应由熟悉或经过培训掌握该技术的施工企业进行施工，保证该技术的有效实施。

5.1.2 采用预应力高强钢丝绳进行结构构件加固时，应采取措施尽可能地卸载，并应做好相应施工安全防护措施。卸载目的以减少二次受力的影响，使得加固材料强度能充分利用。

5.1.3 施工环境温度过低时，砂浆、胶粘剂、锚固胶或植筋胶的凝结、固化速度大大降低，并易发生冻融损伤，应停止施工或采取有效措施。

5.1.4 加固技术的工艺操作、各关键环节的施工控制，材料的质量等直接关系到最终的加固效果，此环节必须在施工操作前严格检查、控制。

5.1.5 界面潮湿或有水对胶粘剂、锚固胶或植筋胶的性能具有非常不利的影响。同时使用过程中材料一次不宜拌制太多，避免可能的浪费，也保证材料的凝结、固化质量。

5.2 表 面 处 理

5.2.1～5.2.3 本节是为保证混凝土与砂浆之间的可靠粘结作出的规定，混凝土表面凿毛，其凹槽深度应不小于 5mm。构件棱角倒角处理，能够减少钢丝绳的应力集中，并降低钢丝绳在张拉过程中的摩擦力。涂刷界面剂可增强砂浆层与原结构混凝土之间的粘结。

5.3 锚固系统定位安装

5.3.1 锚具与锚板的焊接工作应在锚板安装之前完成，以避免焊接过程中产生的高温对胶体造成不利影响。

5.3.3、5.3.4 为保证锚板与混凝土之间的粘结质量作出的规定，操作中应严格按本规程执行。

5.4 高强钢丝绳下料及锚固

5.4.1 本条规定了预应力高强钢丝绳下料长度的确定及张拉方法。预应力高强钢丝绳的下料长度应严格控制，测量 L_0 时，应在预应力高强钢丝绳张拉绷紧的情况下进行，避免钢丝绳弯曲、重力下垂的影响，减小下料长度误差。其中预留长度 L_e 取锚头长度加上钢丝绳端部盘圈长度，盘圈长度以适合施工为准。钢丝绳张拉采用伸长量和应力双重控制，必要时可采用钢垫片进行调整。张拉时，为防止预应力高强钢丝绳因不对称张拉而使构件产生扭转、侧弯，从而规定应对称张拉。为确保预应力高强钢丝绳与原结构之间的良好传力，应在梁底设置传力点，预埋直径不小于 12mm 的圆钢棒，位置可根据跨度等结构情况设置在三分点等合适的位置。

预应力高强钢丝绳张拉时，往往受现场施工条件的限制，如张拉空间小、转向不方便等原因，因此宜采用占用空间小且张拉方便的机具，如手扳葫芦、特制小型千斤顶等。张拉速度应缓慢进行，锚头内侧到达锚具外边缘时再继续张拉 0.5mm～1.0mm，用锤轻轻敲击锚头卡入锚具槽道内。

5.4.2 抗剪加固的施工方法与抗弯加固的施工方法基本一致，张拉时用小型千斤顶顶升锚头卡入锚具槽道内。

5.4.3 预应力高强钢丝绳对混凝土柱受压及抗震加固，其缠绕过程中应尽量保证钢丝绳与混凝土柱缠绕紧贴。缠绕结束后，若有钢丝绳没有绷紧应根据实际间隙大小采用钢垫片或短圆钢棒塞垫。

5.5 砂 浆 涂 抹

5.5.1~5.5.4 为保证砂浆涂抹质量，砂浆应分层涂抹，避免一次涂抹太厚，砂浆由于重力作用下垂产生空鼓，并规定了一次涂抹砂浆层的最大厚度。砂浆的抹光及养护时间要掌握好，以防止因养护不当而开裂。

6 检验与验收

6.1 检　　验

6.1.1、6.1.2 这两条分别从原材料检验、施工过程及隐蔽工程进行控制，都是为了保证加固效果。

6.1.3 钢丝绳锚固系统的检验重点是锚头质量的检验，锚头的质量直接影响到预应力高强钢丝绳预应力的施加与保持。一旦锚头损坏预应力将损失或丧失，所以此环节必须严格按照本规程及相关标准规定执行。

对于承受动力荷载的结构加固，如桥梁结构、吊车梁结构等，锚头宜进行振动冲击试验检验，但不强制执行。

预应力高强钢丝绳张拉时，应采用拉力计检验、校核，若张拉过程中发现与设计值相差较大，可用事先准备 0.5mm～1.0mm 厚的钢垫片调整锚头与锚具之间的间隙，钢垫片的厚度与数量可根据实际需要选择。

6.2 验　　收

6.2.1～6.2.5 规定了工程验收内容及要求，突出原材料和关键工艺。其中，锚固系统、钢丝绳及锚头、砂浆是保证技术效果重点验收的内容。

附录 A 高强钢丝绳强度、弹性模量、伸长率试验方法

本方法是在现行国家标准《钢丝绳破断拉伸试验方法》GB/T 8358 推荐测试方法基础上制定的，经大量试验证明，本方法方便、可靠。本方法与 GB/T 8358 规定的测试方法略有不同，在原来测试方法的基础上增加了伸长率的测试内容，用引伸计或应变计完成伸长率的测试。其次，GB/T 8358 是通过试验机夹具夹持钢丝绳试样完成测试，本方法是通过销钉固定钢丝绳试样完成测试，并要求销钉直径不应小于 3 倍钢丝绳直径，以防止销钉过细在试验过程中损伤钢丝绳，发生钢丝绳在锚头之外的环头破坏。

第 A.3.4 条钢丝绳伸长率的测试方法是利用应变计直接测得或利用引伸计间接测得，利用引伸计测试时，应给定预张力 0.2kN，以此作为起始零点，拉伸至试件断裂，记录引伸计伸长量，伸长量与引伸计原始标距的比值，得出钢丝绳断裂伸长率。

本规程规定使用的高强钢丝绳为 1×19 单股，第 A.3.5 条给出了钢丝绳公称直径及计算截面面积，取值依据现行行业标准《镀锌钢绞线》YB/T 5004 及高精度游标卡尺实测。

附录 B　铝合金套管材质及规格

本附录给出套管的形状及规格尺寸，供设计单位参考选用。表 B.0.2 给出的尺寸均已在试验及工程中得到实际应用，满足锚固要求。

统一书号: 15112·23903

定 价: **12.00** 元